NATE

le seul et unique

Lincoln Peirce

NATE
le seul et unique

Texte français d'Isabelle Allard

Éditions
■SCHOLASTIC

Catalogage avant publication de Bibliothèque et Archives Canada

Peirce, Lincoln
Nate, le seul et unique / Lincoln Peirce ;
texte français d'Isabelle Allard.

Traduction de: Big Nate : in a class by himself.
Niveau d'intérêt selon l'âge: Pour les 8-12 ans.

ISBN 978-1-4431-0605-4

I. Allard, Isabelle II. Titre.

PZ23.P4355Ju 2011   j813'.6   C2010-905884-4

Édition publiée par les Éditions Scholastic,
604, rue King Ouest, Toronto (Ontario) M5V 1E1,
avec la permission de HarperCollins.

8 7 6 5 4   Imprimé au Canada 139   17 18 19 20 21

Pour Jessica

NATE

le seul et unique

CHAPITRE

1

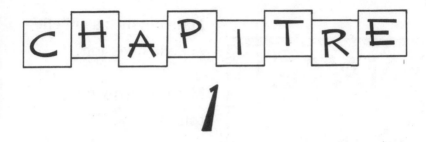

Elle pourrait le demander à n'importe qui.

EN QUELLE ANNÉE LE 14E AMENDEMENT À LA CONSTITUTION A-T-IL ÉTÉ RATIFIÉ?

Il y a vingt-deux autres enfants dans la classe, et ils lèvent tous la main. Francis lève la main. Teddy aussi, et Gina, bien sûr. Même Nick Blonsky, qui est toujours assis dans la dernière rangée avec son crayon dans son nez, lève la main. Elle pourrait le leur demander à eux, non?

Mais devinez à qui elle pose la question?

Mme Godfrey fait toujours ça. Elle me pose toujours les questions auxquelles je ne sais pas répondre. Elle SAIT que je ne sais pas. As-tu déjà entendu dire que les chiens peuvent sentir qu'on a peur? Mme Godfrey est comme ça. Elle est comme un chien.

Un gros chien méchant et laid.

Je m'écrase un peu plus sur ma chaise. Toute la classe me regarde. J'ai chaud aux oreilles, puis aux joues. Je peux sentir de petites gouttes de sueur sur mon front.

o ° o o o° °o O o o °o O °o ° o o o° °o O o ° °o O

— ALORS? aboie-t-elle.

Il paraît qu'au cours d'une journée normale, on utilise environ 10 pour cent de notre cerveau. Eh bien, en ce moment, j'ai la bouche aussi sèche qu'un sac de sable et j'aurais bien besoin que les 90 pour cent s'activent. Mais j'ai la tête vide.

Mme Godfrey s'éloigne du tableau et se dirige vers moi. Elle a l'air furieuse. Non, pire que furieuse. Méchante. Son visage est rouge. Je peux voir de petites bulles de salive aux coins de sa bouche. C'est plutôt dégueu. Je prends mon courage à deux mains...

Puis la cloche sonne!

Et sonne. Et continue de sonner. Sauf que la sonnerie est différente de la cloche de l'école. Elle ressemble à...

Je RÊVAIS! Je cligne des yeux, puis je pousse un soupir de soulagement. Je n'ai jamais été aussi content d'entendre la sonnerie de mon réveil. Mais ça ne veut pas dire que je suis prêt à me lever. Je referme les yeux et me laisse retomber sur mon oreiller. ZZZZZZ...

Hé, merci, papa! Merci de me réveiller aussi doucement. Bonne méthode!

En fait, ses méthodes d'éducation ne sont pas si mal. Il prépare la plus horrible casserole au thon du monde, mais il est plutôt inoffensif — surtout quand je le compare avec certains pères complètement dingues que je vois aux parties de baseball. C'est juste que papa ne comprend rien à rien. Il n'a aucune idée de ce que c'est, être moi.

C'est vrai, ça fait combien de temps qu'il a quitté l'école primaire? Trente ou quarante ans? Je pense qu'il a oublié comment on se sent quand on est prisonnier toute la journée dans un

INFO-PARENT
Une fois qu'on est chauve, on perd toute capacité de comprendre les gens de moins de 30 ans.

bâtiment qui sent la poussière de craie, l'ammoniaque et la viande mystère. Il a oublié ce que c'est que d'être un élève ordinaire de sixième année.

Ce n'est pas que je suis un élève ordinaire de sixième année. Bon, j'admets ne pas être un candidat au tableau d'honneur, mais peux-tu répondre à cette

question : dans la vraie vie, est-ce que quelqu'un va se préoccuper de savoir si je sais qui était le vice-président sous le gouvernement de Warren G. Harding? (Et n'essaie pas de me faire croire que TU le sais, parce que tu ne le sais pas).

En fait, je veux utiliser mes talents pour mémoriser autre chose que des informations inutiles. Je suis destiné à des choses plus importantes. Je suis...

Je ne suis pas encore 100 pour cent certain du GENRE d'avenir auquel je suis destiné, mais je vais le trouver. J'ai plusieurs possibilités. J'ai une liste sur la porte de mon placard.

Il y a aussi des domaines où je ne brillerai JAMAIS, comme l'opéra, la nage synchronisée et le toilettage des chats. Changeons de sujet.

Revenons au fait qu'aujourd'hui, malheureusement c'est une journée d'école. Mais de quel GENRE? Tu sais, les jours d'école ne sont pas tous pareils. On peut les classer en catégories. (Je te préviens, j'aime beaucoup classer les trucs. Une fois, j'ai passé une semaine entière à classer toutes les sortes de collations que je pouvais imaginer. En première position : les grignotines au fromage. En dernière position : les galettes de riz.)

INFO-PAPA : *Une fois, papa a distribué des galettes de riz à l'Halloween. C'est l'année où quelqu'un a lancé des œufs sur notre maison. Fais le lien, papa.*

Si je mettais une note aux différentes journées d'école dans un bulletin, voici ce que ça donnerait :

A+ | JOURS DE SORTIE

Je ne parle pas des sorties plates, comme quand le prof nous fait marcher dans le quartier pour ramasser des déchets, le Jour de la Terre. Je parle des journées complètes où on prend un autobus-pour-aller-quelque-part. Même s'il nous donne une feuille d'exercices dans l'espoir qu'on apprenne quelque chose, on peut toujours trouver une excuse pour ne pas la remplir. C'est ce que j'ai fait l'an dernier quand on est allés à l'aquarium.

B | JOURS D'ACTIVITÉS SPÉCIALES

Ça, c'est quand les heures de cours sont remplacées par une activité plus amusante, comme un film ou une réunion. Ou, mieux encore, par une urgence. Au printemps dernier, la perruque de Mme Czerwicki a pris en feu! Cela a déclenché le détecteur de fumée de la salle des profs et on a dû évacuer l'école. On a joué au disque volant suprême sur la pelouse pendant une heure. C'était génial. Pour tout le monde, sauf Mme Czerwicki.

C- JOURS AVEC REMPLAÇANTS

Tu seras sûrement d'accord pour dire que les remplaçants sont presque toujours mieux que les vrais profs. Par « mieux », je veux dire « plus innocents ». Les meilleurs sont ceux qui viennent de sortir de l'université et n'ont jamais enseigné de leur vie. Franchement, ils ne sont pas très brillants. Ou peut-être qu'ils sont juste naïfs.

D JOURS ORDINAIRES

Malheureusement, la plupart des jours d'école sont comme ça : tu passes six heures et demie à étudier des sujets formidables comme la photosynthèse et la guerre de 1812. Passionnant. Quand tu rentres à la maison, tes parents te demandent :

F JOURS DÉSASTREUX

Il y a tellement de possibilités qu'une journée d'école soit gâchée qu'il est presque impossible de

toutes les nommer. Tu peux te faire crier après par un prof (généralement Mme Godfrey) pour absolument rien, ce qui m'arrive souvent. Tu peux te faire brutaliser par Chester, le dur de l'école qui ajoute sûrement des hormones de croissance à son lait au chocolat. Ou bien le prof peut te donner un test sans avertissement...

Panique soudaine. Est-ce qu'on a un test aujourd'hui? Je ne me souviens pas qu'un prof en ait parlé hier. Mais comme je l'ai déjà dit, je ne me souviens jamais de grand-chose. Je décroche dès que j'entends les mots :

SILENCE, LES ENFANTS!

(« Silence, les enfants! », en langage de prof, ça veut dire : « Que les platitudes ennuyeuses qui endorment le cerveau commencent! »)

BLA BLA BLA BLA BLA BLA BLA BLA BLA BLA BLA BLA BLA BLA BLA BLA BLA BLA BLA BLA BLA BLA BLA BLA BLA BLA BLA BLA BLA BLA BLA BLA BLA BLA BLA BLA BLA BLA BLA BLA BLA BLA BLA BLA BLA BLA BLA BLA BLA BLA BLA BLA BLABLA BLA BLA EN PASSANT IL Y A UN TEST DEMAIN BLA BLA BLA BLA BLA BLA BLA BLA BLA BLA BLA BLA BLA BLA BLA BLA BLA BLA BLA BLA BLA BLA BLA BLA BLA BLA BLA BLA BLA BLA BLA BLA BLA BLA BLA BLA BLA BLA BLA BLA BLA BLA BLA BLA BLA BLA BLA BLA BLA BLA BLA BLA BLA BLA BLA BLA BLA BLA BLA

C'est à des moments pareils que je voudrais avoir été plus attentif en classe. Comme Francis.

Francis!!! LUI, il saurait s'il y a un test aujourd'hui!

Francis est comme ça : il connaît tout. Il a toujours le nez plongé dans un almanach ou une encyclopédie, et il prend l'école très au sérieux. En fait, il est plutôt bollé. Je peux le dire parce qu'on est copains. On se connaît depuis le premier jour de la maternelle. Quand il avait commencé à ronfler pendant la sieste, je l'avais frappé sur la tête avec ma boîte-repas de Thomas le petit train. On est les meilleurs amis du monde depuis ce jour-là.

Je vais voir s'il est réveillé.

Ouais, il est debout. Et il lit, évidemment.

Mais... attends une minute! Regarde ce qu'il lit!

SON LIVRE D'ÉTUDES SOCIALES!

Donc, on a SÛREMENT un test aujourd'hui!

OH NON!

Ça va mal. TRÈS mal. D'abord, parce que mon livre d'études sociales est dans mon casier, à l'école.

Ensuite, parce que je viens de me rappeler ce que Mme Godfrey m'a dit après le DERNIER test :

Bon. On a un cours d'études sociales à la première période. Ça me laisse environ quarante-cinq minutes pour étudier mes notes de cours.

On dirait que mes notes de cours ne m'aideront pas tellement. Si seulement Mme Godfrey accordait des points pour le gribouillage...

Je suis un homme mort.

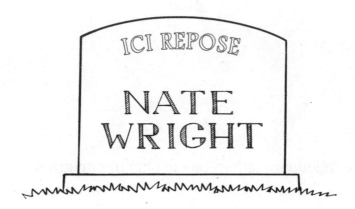

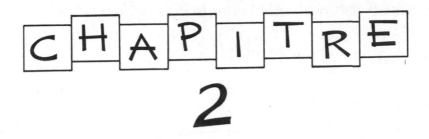

2

« Le déjeuner est le repas le plus important de la journée. »

As-tu déjà remarqué ce que les gens disent juste avant de mettre un bol de gruau plein de grumeaux devant toi?

Maintenant, papa radote au sujet de la diète riche en fibres qui a changé sa vie, mais je ne l'écoute que d'une oreille. Je pense encore au test d'études sociales qui pourrait m'obliger à suivre des cours d'été.

« Cours ». « D'été ».

Voilà des mots qui ne vont pas bien ensemble. Un peu comme « gruau » et « déjeuner ».

En fait, je n'ai aucune idée de ce que sont les cours d'été. Francis pense que c'est comme l'école ordinaire, mais en plus chaud.

Mais d'autres enfants disent que ce sont des cours où les profs nous font travailler. Et il ne s'agit

pas de remplir des feuilles d'exercices ou de
rédiger des résumés de chapitres. Non, ce serait
plutôt du genre « gratter la gomme des pupitres »
ou « nettoyer les toilettes des garçons dans le
vestiaire » (j'espère que ce n'est pas vrai, car ces
toilettes sont vraiment dégoûtantes). Ça a l'air
horrible.

Le seul enfant que je connais qui a suivi des cours
d'été, c'est Chester. Je suppose que je pourrais lui
demander comment c'était. Sauf que la dernière
fois que je lui ai demandé quelque chose, il m'a
jeté dans une poubelle.

Il est cinglé.

De toute façon, les cours d'été, ça ne peut pas être une bonne chose. Je ne peux pas imaginer quelque chose de plus désagréable.

À ce moment précis... ELLEN ARRIVE.

Bon, d'accord, je PEUX imaginer quelque chose — disons quelqu'un — de plus désagréable. Les cours d'été ne durent que huit semaines. Une sœur de quinze ans, c'est là pour toujours. Du moins jusqu'à ce qu'elle ait seize ans, ce qui est probablement encore pire.

Moi et Ellen

Les sœurs n'ont pas besoin d'être des ados pour être détestables. Elles naissent comme ça.

Si tu as une grande sœur, tu sais ce que je veux dire. Tu souffres autant que moi. Tu me comprends. Si tu n'as PAS de grande sœur, félicitations! Et bienvenue dans mon cauchemar.

INFO-ELLEN

Tous les deux ou trois mois, elle décide qu'elle n'aime pas sa façon de rire, alors, elle la change.

HA, HA, HA! NON, PAS COMME ÇA...

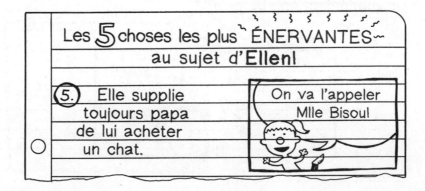

Les 5 choses les plus ÉNERVANTES au sujet d'Ellen!

5.) Elle supplie toujours papa de lui acheter un chat.

On va l'appeler Mlle Bisou!

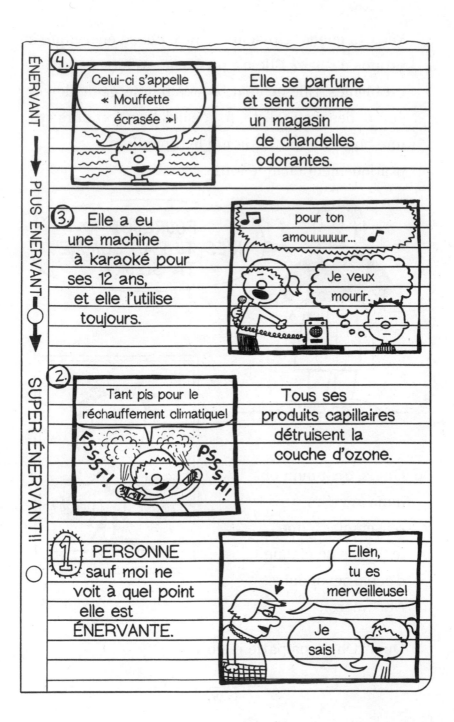

Veux-tu que je te dise une autre chose énervante à propos d'Ellen? Elle n'a pas ce genre de problèmes. Elle ne s'est jamais inquiétée de devoir suivre des cours d'été, parce qu'elle a toujours été une bonne élève. Et on me le rappelle pratiquement chaque jour.

POURQUOI N'ES-TU PAS COMME TA SŒUR?

Ouais, c'est mon but dans la vie : ressembler à une meneuse de claque d'école secondaire. Non, merci!

Quoi? Oh. Papa parle encore.

Note à moi-même : ajouter « pas moyen de la faire taire » à ma liste de choses énervantes.

Hum. Je ne pense pas que papa me croit. Il me regarde avec ses « Grands yeux ».

GRANDS YEUX
Niveau un dans l'échelle de méfiance de papa. Ça veut dire qu'il n'est pas certain qu'on lui dit la vérité.

YEUX PLISSÉS
Niveau deux. C'est sa façon de dire : « Tu blagues? »

YEUX POILUS
Niveau trois. Quand il a ce regard, attention! Il va piquer une crise.

Papa est seulement au niveau un en ce moment, mais je devine ce qui s'en vient. Alors, je ferais mieux de partir avant qu'il me pose d'autres questions.

ZOUM!

Fiou! Je l'ai échappé belle. Il ne se doute pas que je pourrais me retrouver dans un cours d'été.

À moins que Mme Godfrey et lui n'aient des conversations téléphoniques secrètes le soir.

OUACHE. J'AIME MIEUX PENSER À AUTRE CHOSE.

Drôle de place pour faire une sieste, Spitsy! Tu ne devrais pas être en train de chasser les écureuils, toi?

Spitsy est le chien de M. Eustis, notre voisin. Et si tu ne l'as pas déjà compris en voyant son chandail ridicule pour chien-chien et l'entonnoir géant sur

sa tête, Spitsy est l'andouille canine suprême. Il a peur des facteurs. Il mange ses crottes. Et n'essaie pas de lui lancer une balle de tennis. J'ai déjà essayé, et on s'est retrouvés chez le vétérinaire pour un lavage d'estomac. C'est une longue histoire.

Mais je ne veux pas critiquer Spitsy. Il n'est pas si mal. Après tout, c'est un chien, et tous les chiens sont super, d'après moi. Sauf peut-être les horribles petits chihuahuas sans poils.

INFO-SPITSY

Il est amoureux du chat de Francis, Pickles.

Ce doit être agréable d'être toi, Spitsy. Tu peux te reposer toute la journée et dormir au soleil. Tu n'as pas besoin de t'inquiéter des Yeux Poilus. Ni des grandes sœurs. Ni des profs.

ET TU N'AS SURTOUT PAS À T'INQUIÉTER DES TESTS D'ÉTUDES SOCIALES.

SPITSY

ATTENDS une minute! Peut-être que je n'ai pas à m'inquiéter du test, moi non plus!

Et si je trouvais un moyen de l'éviter?

Si je pouvais convaincre Mme Godfrey de me laisser passer le test demain à la place? Je pourrais emprunter les notes de Francis et étudier sans arrêt pendant vingt-quatre heures. Ça me donnerait au moins une CHANCE de réussir ce truc idiot.

Tu vois, c'est pour ça que les chiens sont beaucoup mieux que les chats. Les chats ne font jamais RIEN pour t'aider. Ils se contentent de dormir, d'égratigner les meubles et de se lécher.

Bon, remue-méninges!
Comment pourrais-je
éviter de faire
ce test?

C'est facile de trouver un plan. Le problème, c'est qu'aussitôt que j'en trouve un, je trouve une raison pour laquelle il ne fonctionnera pas.

PLAN A : MALADIE

Dès le début du test, je vais retenir ma respiration jusqu'à ce que mon visage soit tout rouge. Puis je dirai à Mme Godfrey que je me sens très, très malade.

POURQUOI ÇA NE FONCTIONNERA PAS

Elle a un thermomètre
dans son bureau.

C'EST CE QUE JE PENSAIS : 37 °C!

PLAN B : BLESSURE

Je vais mettre un pansement sur ma main et dire
que je ne peux pas écrire parce que je me suis
foulé le poignet.

POURQUOI ÇA NE FONCTIONNERA PAS

Elle va me faire écrire le test avec la main gauche.
Oui, elle est assez méchante pour ça.

PLAN C : ACCIDENT TRAGIQUE

Je vais faire semblant de
me frapper la tête sur la
porte en entrant dans la
classe, puis je ferai
comme si j'étais
amnésique.

POURQUOI ÇA NE FONCTIONNERA PAS

J'ai utilisé ce truc il y a deux semaines.

PLAN D : LA VÉRITÉ

Je vais aller voir Mme Godfrey, la regarder dans les yeux et lui dire que je ne savais pas qu'il y avait un test aujourd'hui.

POURQUOI ÇA NE FONCTIONNERA PAS

Cette femme me déteste.

Zut. Je ne suis pas plus avancé. Il ne me reste que vingt-cinq minutes avant le test. Vingt-cinq minutes avant que Mme Godfrey ne me condamne à suivre des cours d'été.

Je regarde ma montre. Maintenant, il reste vingt-QUATRE minutes. Zut!

On dirait que la seule façon d'éviter ce test, ce serait de... de....

... de ne pas aller à l'école!

CHAPITRE

3

Oui! C'est ça! Je vais manquer l'école! Je vais faire semblant que quelqu'un a inventé un nouveau jour de congé!

Je vais arrêter ça tout de suite.

Qu'est-ce que JE FAIS LÀ? Personne ne peut sécher les cours à l'École publique 38. C'est impossible.

Pourquoi? En deux mots : LA MACHINE.

Pas une VRAIE machine, comme le truc génial que le concierge utilise pour polir les planchers. La Machine n'est pas quelque chose qu'on peut voir ou toucher. Mais elle est là.

La Machine te surveille. Elle suit tes moindres mouvements. Si tu n'es pas là où tu devrais être, elle te trouve. Voici comment :

1. LE PLAN DE LA CLASSE

Les profs te disent toujours où t'asseoir. Ils prétendent que ça les aide à se souvenir du nom des enfants. Ouais. Comme s'ils se souciaient de connaître nos noms.

Ils t'ont toujours à l'œil. Un coup d'œil au plan, et ils savent aussitôt si tu n'es pas à ton pupitre. C'est alors que la Machine se met en branle.

2. LA FEUILLE DE PRÉSENCE

Les profs écrivent tout. On se demande bien pourquoi.

Ils ont une feuille de présence dans chaque classe. Si tu n'es pas là, ils mettent un gros X rouge à côté de ton nom. Félicitations. Tu es absent.

3. LES AIDES DU PROF

On a vu un film sur les abeilles pendant le cours de sciences. La grosse reine reste dans la ruche à ne rien faire pendant que les petites ouvrières font tout le travail. Ça te rappelle quelque chose?

Les profs sont comme les reines chez les abeilles. Et devine qui sont les ouvrières?

Ce sont toujours les chouchous comme Gina qui se proposent, parce qu'ils veulent tellement se faire aimer. Bravo, Gina. Je suis certain que ta carrière d'aide de prof de 6e année te fera entrer dans un collège huppé.

Le bureau. C'est le moteur qui actionne la Machine. Et au milieu du bureau, il y a...

4. LA SECRÉTAIRE DE L'ÉCOLE

Mme Shipulski n'est pas si mal. Ce n'est pas SA faute si elle doit s'occuper des présences. (Je ne la blâme pas non plus pour toutes les fois où elle a dit : « Nate, le directeur est prêt à te recevoir. »)

Elle est rapide pour une vieille dame. Elle lit toutes les feuilles de présence en un rien de temps. Dès qu'elle voit un X rouge à côté d'un nom, elle téléphone aux parents.

Tu vois comment la Machine fonctionne? Tu vois comme elle est efficace? Impossible de gagner. Elle est imbattable.

Voilà mon problème. Si je m'enfuis dans les bois avec Spitsy, il ne faudra que cinq minutes pour que Mme Shipulski appelle urgence-papa. Et

alors, les cours d'été seraient le MOINDRE de mes
soucis. Je serais probablement suspendu. Ou
renvoyé. On m'enverrait peut-être dans une
académie militaire où ils
te donnent un uniforme,
te rasent la tête et te
font dire « monsieur »
à la fin de chaque
phrase.

Ça règle la question. Je ne peux pas manquer
l'école. Je dois faire preuve de plus d'imagination.
Je sais, j'ai besoin d'une absence motivée.

Une absence motivée, c'est quand tu vas à l'école comme d'habitude, mais que tu as une note de tes parents disant que tu dois aller quelque part à une certaine heure. Et voilà. Tu es libre. Hier, Alan Olquist est parti au milieu du cours de sciences parce qu'il devait faire brûler sa verrue. Tu parles d'une chance!

Donc, j'ai seulement à entrer dans la classe d'études sociales avec une note de papa disant que je dois aller chez le dentiste, par exemple, et je suis tiré d'affaire. Je suis un génie!

Ouais, ouais. Je sais ce que tu penses. Je n'ai pas de note de papa. Mais je peux arranger ça.

> Chère Mme Godfrey,
> Veuillez excuser Nate.
> Il ne pourra assister au
> cours d'études sociales
> à 8 h 45 ce matin, car il
> a un rendez-vous très
> important chez le dentiste.

Non, ça ne marchera pas. Ça ressemble trop à mon écriture. Mme Godfrey va s'en rendre compte. Cette femme est peut-être méchante, mais elle n'est pas stupide.

Je dois imiter une écriture d'adulte. Comme celle de PAPA. Et son écriture est illisible.

> chère mme Godfrey, veillez excuser nate.
> Il ne pourra assister rs d'études sociales.
> à 8 h 45 ce matin, a un rendez-vous
> très important le dentiste.

Oups. Pas tant que ÇA.
Même moi, je ne
peux pas la lire.

C'est plus difficile
que je pensais.
Et il ne reste pas
beaucoup de
temps.

Chère Mme Godfrey, Veuillez excuser Nate.
Il ne pourra assister au cours d'études
sociales à 8 h 45 ce matin, car il a un
rendez-vous très important chez le dentiste.

Ah! ÇA, c'est beaucoup mieux. Très convaincant!

Bonjour, absence motivée! Au revoir, test d'études
sociales! Tout ce qui reste à faire, c'est d'imiter la
signature de papa.

imiter... la signature...

Heu... Laisse-moi réfléchir une minute. Une fausse signature, c'est de la contrefaçon. Gloup.

de papa...

Et la contrefaçon, c'est un CRIME! Les gens peuvent aller en PRISON pour avoir contrefait une signature sur un chèque ou avoir utilisé la carte de crédit de quelqu'un d'autre.

Écoute, je ne suis pas un petit parfait. Il y a un pupitre dans la salle de retenue qui porte mon nom. Vraiment. Mais je ne veux pas faire quelque chose d'ILLÉGAL. Je ne veux pas me faire sortir de l'école avec des menottes.

Voici le célèbre NATE WRIGHT!

Le voleur d'identité?

Oh là là!

Ce n'est peut-être pas une bonne idée. Je devrais déchirer ce papier avant que quelqu'un...

Oh! C'est seulement Francis.

C'est ce qui arrive quand ton meilleur ami est aussi ton voisin. Il s'approche toujours en douce pour envahir ta vie privée. Ce n'est pas que j'aie quelque chose à cacher!

D'accord, j'ai une petite chose à cacher.

— Rien? demande-t-il.

— Rien! dis-je aussitôt.

— On ne dirait pas que c'est RIEN.

Pourquoi il joue à Sherlock Holmes, tout à coup?

J'ÉCRIVAIS UNE NOTE D'EXCUSE... POUR NE PAS FAIRE LE TEST D'ÉTUDES SOCIALES.

Hum. Long silence embarrassant. Francis a une drôle d'expression. Un air mi-souriant, mi-perplexe. Soit il me juge pour ce que j'ai fait, soit il essaie de péter.

— Quel test d'études sociales? demande-t-il.

Francis peut être vraiment crétin. (Je dois parfois me répéter à quel point il est intelligent.)

— Le test que je t'ai vu ÉTUDIER ce matin!

— Je n'étudiais pas pour un test! dit-il.

— Alors, pourquoi tu lisais ton livre d'études sociales?

— Parce que j'aime enrichir mon esprit!

Je vais ignorer cette explication incroyablement boiteuse et me concentrer sur ce qu'il a dit juste AVANT.

Donc... il n'y a pas de test d'études sociales?

IL N'Y A CERTAINEMENT PAS DE TEST! JE ... URAIS, PARCE QUE J'ÉCRIS ... QUE LA PROF DIT! S'IL Y ... U UN TEST, JE L'AURA... QUÉ QUAND J'AI RELU ME... DE COURS ET BLA BLA ... A ... LA BLA BLA BLA BLA B... A BLA BLA BLA BLA BLA ... A BLA BLA BLA BLA BLA BL... BLA BLA...

OUI! YOUPI!

— En fait, dit Francis avec un regard rêveur, j'aurais aimé qu'il y AIT un test ce matin.

Désolé, Francis. Mais quand tu commences à agir comme le maire de la ville des Bollés, c'est mon rôle de te mettre du plomb dans la cervelle. Tu as de la chance que je ne t'aie pas frappé avec un livre plus lourd.

C'est la première cloche. Ce n'est pas ce que j'aime le plus entendre, mais le nœud que j'avais dans le ventre est parti. Pas de test! Pas de cours d'été! Cette journée ne sera peut-être pas si horrible, après tout!

Ouais, il n'y a aucun doute, les choses
s'améliorent.

CHAPITRE 4

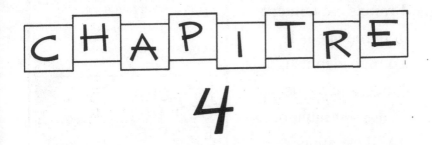

— Hé, Nate! Tu fais une sieste?

C'est Teddy. Fais comme moi. Ne fais pas
attention à ses blagues idiotes.

Teddy est mon AUTRE meilleur ami. Francis est numéro 1, parce que je le connais depuis plus longtemps. Mais Teddy est numéro 1A. Il est super.

INFO-TEDDY :
*Il m'a appris à dire :
« Mme Godfrey est
grosse » en espagnol.*

¡SEÑORA GODFREY ES GRASA!

¡SÍ!

J'étais hésitant au début. C'est comme ça avec les petits nouveaux. On les observe de loin pour voir comment ils sont. On ne veut pas être super amical avec eux tout de suite, au cas où ils ne seraient vraiment pas cool!

Aimerais-tu voir ma collection de vaporisateurs nasaux?

D'accord.

Qu'est-ce que je dis là?

petit nouveau →

←

Avec Teddy, c'était difficile de se faire une idée. Le directeur Nichols m'a demandé de lui faire visiter l'école lors de sa première journée. Teddy était silencieux et sérieux. Il n'a presque pas parlé de la journée. Depuis, je lui ai dit plusieurs fois à quel point il m'avait paru idiot ce jour-là.

Ensuite, on nous a mis en équipe au labo de sciences. On devait disséquer un calmar.

On avait commencé depuis cinq minutes quand Teddy a pris le calmar et fait comme si c'était une grosse crotte de nez.

C'était tordant. J'ai commencé à rigoler...

... puis Teddy a pouffé de rire, lui aussi. C'était la première fois que je l'entendais rire. Ça ressemblait à un cri de lama névrosé.

Oh là là! On était pliés en deux. On riait tellement qu'on a échappé le calmar par terre. Mary Ellen Popowski a marché dessus, et on se roulait par terre.

C'est alors que M. Galvin nous a vus. Oh, qu'il était fâché! Il nous a fait une colère à la Godfrey.

LEXIQUE
Quand un prof pique une crise et se met à crier, ça s'appelle une colère à la Godfrey (quand Mme Godfrey fait ça, ça s'appelle un lundi).

Il nous a fait nettoyer les entrailles de calmar sur le plancher. On s'est excusés, mais on ne devait pas avoir l'air assez désolés, parce que Mary Ellen a continué de se plaindre que ses souliers sentaient le calmar mort. Je lui ai dit que c'était sans doute une amélioration.

J'ai dû ENCORE m'excuser. On a été en retenue
pendant deux semaines.

Avoir une grosse punition avec quelqu'un, ça
change la façon dont tu le perçois. Lorsque j'ai vu
Teddy agiter le calmar sous son nez, je me suis dit
qu'il était super. Et après avoir été en retenue
avec lui, j'ai su qu'on serait amis pour la vie.

Mais ça ne veut pas dire que je vais le laisser gagner!

Ah, ah! Je passe en turbovitesse!

JE VAIS GAGNER HAUT LA MAIN!

Zut alors! Le directeur!

Ça pourrait tourner mal. Le directeur Nichols est un vrai M. Discipline. Il ne supporte pas le chahut. Et je viens de lui rentrer dedans. Reculez-vous! Il va exploser!

Comme je vous le disais, le directeur Nichols est
un bon gars!

— Ça va? me demande-t-il.

— Ouais, dis-je. Ça ne m'a pas fait mal. Vous êtes
comme un coussin gonflable géant.

Je vais arrêter de parler,
je crois.

— Tu peux y aller, mon garçon, dit le directeur.
Cependant, je sais bien qu'il est loin de me
considérer comme SON garçon.

Fiou! Je suis content de m'en aller. J'étais
convaincu qu'il allait me coller une retenue.

— Venez, les gars, dit Francis. Plus que deux
minutes avant le début des cours.

ATTENDS. JE VAIS RANGER
MON REPAS.

CLIC!

J'ai un léger problème d'organisation. Un de ces jours, il faudrait que je nettoie mon casier. Avec une benne à ordures. Ou une allumette.

Je n'ai pas le temps maintenant. Voyons voir... où est mon repas de midi?

— Je suis parti tellement vite de la maison que j'ai oublié de mettre mon repas dans mon sac à dos! dis-je à Teddy.

— Pas de problème, réplique-t-il. J'en ai assez pour deux.

— Vraiment? dis-je.

— Ouais! répond-il. On a mangé des mets chinois hier. J'ai plein de restes.

Hum. Un biscuit chinois.

J'aime me faire prédire l'avenir. J'adore les horoscopes, les boules magiques et les trucs de ce genre.

(En passant, je suis Scorpion. Ça veut dire que je suis dynamique et loyal, avec beaucoup de magnétisme animal. En un mot, je suis incroyable.)

Mais parfois, les biscuits chinois m'énervent. Ils sont censés prédire l'avenir, non? Pourtant, la moitié du temps, il n'est pas DU TOUT question de l'avenir. Ce sont juste des dictons nuls.

Parfois, ils sont ennuyeux.

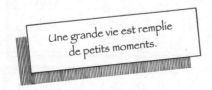

Une grande vie est remplie de petits moments.

Parfois, ils sont ridicules.

Avoir trop d'esprit, c'est n'en avoir pas assez.

Parfois, ils ne veulent absolument rien dire, comme le jour où papa nous a emmenés chez Pu-Pu Panda. J'en ai eu un tellement bizarre que ça m'a inspiré une B.D. :

On pourrait dire que j'ai une relation d'amour-haine avec les biscuits chinois. J'en ai rarement des bons, mais je ne peux pas m'empêcher de les ouvrir.

ÇA, c'est ce que j'appelle une BONNE PRÉDICTION!

Aujourd'hui, vous allez surpasser tout le monde.

5

Je suis de très bonne humeur en entrant dans la classe-foyer. Pas à cause de cette classe. Seul un bollé pourrait aimer ça.

Tu vois? C'est la PRÉDICTION du biscuit chinois qui me rend heureux. Je pensais que ma journée serait ratée, et maintenant, c'est tout le contraire!

— Pourquoi as-tu l'air aussi content? demande Francis.

— Je viens d'avoir une super bonne nouvelle, dis-je. M'as-tu déjà entendu dire que j'étais destiné à un avenir brillant?

— Tu l'as mentionné une fois ou deux... ou un million, répond-il en levant les yeux au ciel.

— Eh bien, en voici la PREUVE! dis-je en lui tendant le bout de papier.

Francis le lit. Il a son expression constipée qui veut dire « je ne suis pas convaincu ».

— Surpasser tout le monde? répète-t-il. En faisant QUOI?

— J'ai de multiples talents, lui dis-je. Ce pourrait être n'importe quoi.

Francis me remet mon papier.

— Pas N'IMPORTE quoi, dit-il d'un air suffisant. On peut tout de suite éliminer les succès scolaires.

Très drôle, Francis. Juste pour ça, je ne t'inclurai peut-être pas dans mon cercle d'amis quand je serai riche et célèbre.

Ce sera agréable d'être riche. Je paierai des gens pour me rendre la vie plus facile. Un chauffeur pour me conduire partout. Un bollé pour faire tous mes devoirs.

Quelqu'un pour acheter mes vêtements et m'éviter d'aller au centre commercial essayer des pantalons dans l'une de ces horribles petites cabines. Je déteste ça.

Et j'aurai un cuisinier qui me préparera de bons petits plats. Je suis AFFAMÉ en ce moment. Tout ce que j'ai dans le ventre, ce sont deux cuillerées de gruau à grumeaux.

Hum. Je suppose que je pourrais manger mon biscuit chinois.

GINA!

Oh, que je la déteste!

— Est-ce que c'est vrai,
Nate? demande
Mme Godfrey
d'un ton
coupant en se
levant de sa
chaise.

Oh, oh! Si Mme Godfrey te surprend à manger en
classe, tu as automatiquement une retenue. C'est
plutôt injuste, quand on pense qu'elle garde des
friandises au chocolat et au beurre d'arachides
dans son bureau. (Ne me demande pas comment
je le sais, j'ai mes trucs.)

Oups. Elle marche vite!

Allez, MÂCHE!

Avale! MAINTENANT!

Fiou! Juste à temps. J'engloutis les dernières miettes une demi-seconde avant qu'elle n'arrive, en furie, à mon pupitre.

— Hum, dit-elle en examinant ma bouche. Je ne

vois rien. Tu as dû te tromper, Gina.

HA! Gina est bouche bée. Son plan pour me mettre dans le pétrin n'a pas marché! Ça fait plaisir à voir.

Oh là là! Les annonces de la journée. Comme c'est excitant.

Ceux qui veulent faire partie de l'équipe de maths doivent aller voir M. Staples.

COMME SI JE N'AVAIS PAS DÉJÀ ASSEZ DE MATHS DANS MA VIE!

Voici le menu du jour : ragoût de bœuf, brocoli, pain de maïs, salade de fruits.

...ET LES QUATRE GOÛTENT LA MÊME CHOSE.

N'oubliez pas de souhaiter bonne fête à la bibliothécaire, Mme Hickson, qui a 39 ans aujourd'hui!

...EN ANNÉES DE CHIEN.

77

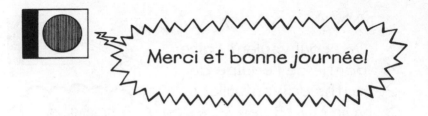

Merci et bonne journée!

Et voilà.

Fin de la classe-foyer. Alors, pourquoi suis-je encore ici?

Parce que la classe-foyer de Mme Godfrey est suivie du cours d'études sociales avec... MME GODFREY! Quelle façon brutale de commencer la journée. Maintenant, je sais d'où vient l'expression « réveil brutal ».

Après le cours d'études sociales, les choses vont en s'améliorant. Voici le reste de ma journée.

2ᴱ PÉRIODE : FRANÇAIS

Mme Clarke n'est pas mal, mais est-ce qu'un prof de français ne devrait pas être compréhensible?

POUR UNE PROPOSITION OU PHRASE NON RESTRICTIVE, MAIS PAS POUR DES PROPOSITIONS INDÉPENDANTES LIÉES PAR UNE CONJONCTION DE COORDINATION...

PARDON?

3ᴱ PÉRIODE : ARTS PLASTIQUES

C'est mon cours préféré. M. Rosa est si épuisé qu'il ne prépare plus ses cours. Ça, c'est de l'enseignement!

4ᴱ PÉRIODE : DÎNER

On mange aussi vite que possible. Après, on regarde les filles et on lance des carottes à Brad Macklin.

5ᴱ PÉRIODE : ÉDUCATION PHYSIQUE

Quand on joue au hockey ou au ballon prisonnier, c'est génial. Quand on fait de la gymnastique rythmique, on espère que personne ne prendra de photos pour l'album de fin d'année.

6ᴱ PÉRIODE : MATHS

Voici une question à choix multiple : Le cours de maths est-il :

a) ennuyant

b) inutile

c) une occasion de faire la sieste

d) toutes ces réponses

La bonne réponse est d, bien sûr. C'est aussi ma dernière note d'examen.

7ᴱ PÉRIODE : SCIENCES

Le meilleur moment de l'année a été quand le dentier de M. Galvin est tombé pendant son cours sur les séismes. C'est pourquoi je l'ai surnommé « Plaque tectonique ».

Je donne un surnom à TOUS mes profs. Je sais. TOUT LE MONDE invente des noms rigolos pour les profs. Mais j'y mets beaucoup d'EFFORTS. Voilà pourquoi je suis le roi du surnom à l'École publique 38.

Un bon surnom doit fonctionner à plusieurs niveaux. Un de mes meilleurs surnoms pour Mme Godfrey est Vénus de Silo (j'ai été inspiré par une sculpture célèbre appelée Vénus de Milo).

Vénus était la déesse de l'amour et de la beauté. Mme Godfrey n'est ni aimable, NI belle. C'est pour ça que c'est drôle.

Vénus est aussi le nom d'une planète. Mme Godfrey ressemble à une planète. Elle est énorme, ronde et pleine de gaz.

Un silo est rempli de grain pour les vaches. Mme Godfrey fait penser à une vache, surtout quand elle mange.

Et c'est seulement UN de ses surnoms. J'en ai plein d'autres. En fait, je peux te dire exactement combien...

... EN VÉRIFIANT MA LISTE!

GODFREY · SURNOMS

1. Godzilla
2. Ennui.com
3. Passe-moi-la-sauce
4. Celle-qu'on-ne-doit-pas-nommer
5. Haleine de dragon
6. Huile de baleine
7. Face cachée de la Lune
8. Extra croustillante
9. Mme Devoirs
10. Ozone
11. Reine de la patate
12. Ô gazeuse
13. Big bang
14. Planète animale
15. Boulet de démolition
16. Festival des montgolfières
17. El Guapo
18. Pizza-toute-garnie
19. Les dents de la mer
20. Vénus de Silo

Vingt surnoms, et ce n'est pas fini! Pas mal, non?

Oups. Pris sur le fait.

Elle regarde la liste très longtemps. Son visage
devient rouge, puis blanc. Je peux voir ses
mâchoires se serrer.

J'attends qu'elle se mette à crier. Mais elle ne dit
rien. Elle me regarde. C'est encore pire que des
cris.

Puis elle dit :

Elle chiffonne ma feuille. Elle ouvre son tiroir et en sort un carnet.

J'ai déjà vu ce carnet.

Elle écrit quelque chose, puis me tend un bout de papier. Un petit sourire relève les coins de sa bouche. Mais le reste de son expression demeure sévère.

— Tu donneras ça à Mme Czerwicki à la fin de la journée, me dit-elle.

RETENUE

Élève : *Nate Wright*

Enseignant : *C. Godfrey*

Motif de la retenue

Insolence

— Insolence? dis-je. Qu'est-ce que c'est?

— Regarde dans le dictionnaire, gronde-t-elle.

Je parie que ça ne veut pas dire « destiné à un avenir brillant ».

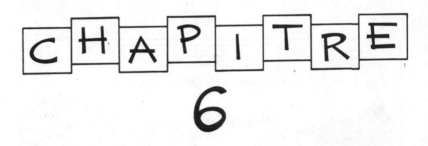

CHAPITRE 6

insolence : nom féminin

Manque de politesse, de respect.

La directrice n'aime pas l'insolence.

Syn. Effronterie; impertinence.

— Apparemment, « insolence » veut dire
« effronterie », dis-je à Francis et Teddy en allant
vers la classe de français.

Je m'apprête à le frapper avec mon livre quand je me souviens qu'il va partager son repas avec moi. Je décide d'être gentil avec lui.

J'enfouis le billet de retenue dans ma poche. Je ne vais pas laisser une petite retenue gâcher ma journée. Surtout pas après avoir eu une aussi bonne prédiction.

— D'après vous, que veut dire « Vous allez surpasser tout le monde »? dis-je à mes amis.

— Que tu as eu le biscuit chinois de quelqu'un d'autre! dit Teddy en riant.

— Ça ne dit pas seulement que tu vas surpasser tout le monde, dit Francis. Ça dit que tu vas le faire AUJOURD'HUI!

Hum. Il a raison. Alors, cette prédiction se réalisera sûrement à l'école. Chez moi, les seules personnes à surpasser sont...

...papa et Ellen. Youpi.

— Donc, si cette prédiction est vraie, dis-je, je vais surpasser tout le monde dans les...

— Je suppose, dit Francis. Tu ferais mieux de te dépêcher.

Beurk. Jenny et Artur. Excuse-moi pendant que je fais semblant de vomir.

Merci, Francis. Tu peux arrêter de parler quand tu veux.

En passant, ce n'est pas TOUT LE MONDE qui aime Artur. Je suis loin d'être le président de son club d'admirateurs.

Ce n'est pas qu'il soit un parfait crétin. Non, je le déteste parce qu'il est DOUÉ pour plein de trucs — les mêmes trucs que MOI. C'est très désagréable.

Tout allait mieux avant qu'il arrive.

Av. A.

Ma B.D. était
la seule
dans le journal
de l'école.

Docteur Égout
Nate

Ap. A.

Je partage
l'espace avec la
B.D. d'Artur...

HALEINE-DE-POISSON

Beurp!

...qui est
une COPIE
de Garfield!!!

Av. A.

J'étais la
vedette du
Mollusque enchaîné.

Prêts pour du
ROCK?

Ap. A.

Devine ce qui
est arrivé.

Oooooh...
mon bel
amouuuuurr...

chanson
quétaine

Donc, tout le monde trouve Artur merveilleux. Je peux comprendre ça. Mais là, il a commencé à sortir avec Jenny. Et ça, ça m'a achevé.

J'ai connu Jenny en première année. Je l'aime depuis ce temps-là. Je suis certain qu'au fond, elle m'aime aussi, même si elle AGIT comme si elle me détestait. J'ai toujours été certain à cent pour cent qu'un jour, on formerait un couple formidable.

Puis Artur est arrivé. Et ils se sont aussitôt comportés comme Roméo et Juliette en public. C'est dégoûtant. C'est dégueu.

Ma PRÉDICTION!

« Aujourd'hui, vous allez surpasser tout le monde! »

Et si cela avait un lien avec Jenny? Peut-être que
la prédiction veut dire que je vais surpasser
Artur! Peut-être que Jenny va rompre avec LUI...

— Aujourd'hui, nous allons terminer le volet
poésie, annonce Mme Clarke.

Avant, je croyais que la poésie, c'était juste un tas
de bonshommes de l'ancien temps qui portaient
des collants et écrivaient des sonnets avec une
plume de paon. Mais c'est bien plus que ça. Mme
Clarke nous a enseigné différents
types de poésie. On doit écrire
nos propres poèmes dans un
portfolio.

POÉSIE! PORTFOLIO!
Nate Wright

Limerick par Nate Wright

J'ai mangé des gâteaux avec du glaçage.

J'ai essayé toutes sortes de potages.

Mais de tous les aliments que j'ai mangés,

Un seul est vraiment mon préféré

Et ce sont les grignotines au fromage!

Nate
fête ←
bête ←
tête ←
prête ←
arrête ←

Haïku par Nate Wright

Légères et croquantes.

Les grignotines au fromage.

Je les adore. Miam.

Ode aux grignotines par Nate Wright

J'ai fait le tour de l'épicerie

Pour trouver ces petites gâteries.

Elles étaient là dans l'allée neuf,

Elles coûtaient un dollar trente-neuf!

Des grignotines à prix coupé,

En plus, c'est bon pour la santé!

J'étais content de savourer

Ces croustilles au fromage soufflé.

J'en ai mangé pendant une heure

Jusqu'à en avoir mal au cœur.

Je chanterai toujours les louanges

Des grignotines couleur orange!

Oups

Qu'est-ce qui rime avec « oups »?

Hii-HA!

COIN

garage ménage glaçage voyage potage village

ZAP

Mme Clarke parle toujours :

— Vous pouvez écrire le poème de votre choix : un poème drôle ou sérieux, un poème d'amour...

MALBOUFFE? Pardon, mais les grignotines au fromage ne sont PAS de la malbouffe. Elles sont... de la très bonne bouffe!

Attends. Est-ce qu'elle a dit « poème d'amour »?

Un poème d'amour!
Ça pourrait marcher!
Jenny adore ce genre
de truc. Elle était
toute contente de
recevoir un valentin
d'Artur l'an dernier, et
c'était juste une carte
de magasin ordinaire.

Je l'observe de l'autre
côté de la classe. Elle
est occupée à enlever
des peluches de sa
manche, mais il y a
de l'électricité entre
nous. Je le sens.

Un plan prend forme
dans ma tête.

1ᴿᴱ ÉTAPE :

J'écris un poème d'amour pour Jenny, mais pas un poème cucul à l'eau de rose. Non, un qui dirait : Pourquoi sortir avec Artur quand JE suis là?

2ᴱ ÉTAPE :

Je glisse le poème dans son cahier à un moment où Artur n'est pas collé à elle comme du velcro.

3ᴱ ÉTAPE :

J'attends que Jenny tombe amoureuse de moi.

Je n'ai jamais écrit de poème d'amour. Ça ne doit pas être trop difficile. Tout ce que j'ai à faire, c'est trouver des mots qui riment avec « Jenny ».

GINA! Elle ne s'occupe jamais de ses affaires, celle-là!

Je sens mon visage devenir rouge betterave. Je jette un coup d'œil de l'autre côté de la classe.

Jenny me regarde avec un drôle d'air. Artur aussi. Super.

Gina gâche toujours tout. Mon plan a zéro chance de fonctionner.

Bon, Mme Clarke qui s'en mêle aussi. Ça va de .
mieux en mieux.

— As-tu du mal à trouver un autre sujet que les
grignotines au fromage? demande-t-elle en
souriant.

— Heu... un peu, dis-je en bredouillant.

— La poésie vient du cœur, Nate, dit-elle. C'est là
que tu trouveras ton inspiration.

Bon, d'accord. Je n'ai aucune idée de ce qu'elle
veut dire, mais je hoche la tête. Toute la classe me
regarde.

Bon, est-ce qu'on peut parler d'autre chose?

Puis j'entends un bruit. Personne d'autre ne
l'entend, mais moi, oui.

Gina pouffe de rire.

Je tourne la tête. Elle a un petit sourire narquois.
Je suis ridiculisé devant tout le monde — devant
JENNY — et Gina savoure chaque minute. C'est
SA faute. C'est ELLE qui est la cause de tout ça.

Le sang me
martèle les
tempes.
Mme Clarke me
dit quelque chose,
mais je l'entends à
peine.

Que dit mon cœur?

Il dit...

CHAPITRE 7

— Donc, si je comprends bien, dit Francis en sortant de la classe de français...

...C'EST **GINA** QUI DEVRAIT APPRENDRE À SE TAIRE?

HI, HI!

— Oui, elle DEVRAIT, dis-je en brandissant le papier rose que Mme Clarke m'a donné. Comment ça se fait que j'aie une retenue et que GINA n'ait RIEN?

— Gina ne se fait jamais punir, dit Francis d'un ton calme. Elle fait punir les AUTRES.

Teddy lit ma feuille de retenue à haute voix :

— Motif de la retenue : avoir dérangé la classe et insulté une camarade.

— C'est vrai que tu ÉTAIS pas mal insultant, dit Francis en hochant la tête.

— Tu veux rire? dis-je. Ce n'est RIEN. Je peux être BEAUCOUP plus insultant que ça!

Avant que les coups bas se multiplient, Francis nous interrompt.

— Avez-vous vu ça? dit-il en pointant le doigt.

Je regarde dans le couloir. Vu QUOI? Luke Bertrand et Amy Wexler dans un bouche-à-bouche ventouse.

Matt Grover qui tire sur la culotte de Peter Hinkel comme si c'était un lance-pierre.

La fille bizarre dont-j'oublie-le-nom qui s'écrit encore sur les bras.

Autrement dit, rien d'anormal.

— De quoi parles-tu? dis-je à Francis.

— De la VITRINE! répond-il.

L'École publique 38 a deux vitrines. Celle devant le bureau du directeur est remplie de trophées poussiéreux, de rubans de concours d'orthographe et d'anciennes photos d'équipes de basket. (Drôles d'UNIFORMES... On dirait qu'ils sont en CALEÇONS!)

Mais l'AUTRE vitrine est super. C'est là où M. Rosa expose les meilleures œuvres des élèves. Il choisit toujours un projet pour le mettre au centre. Il y a une banderole au-dessus qui dit :

EN VEDETTE...

Quand tu es en vedette, c'est comme si M. Rosa disait à tout le monde :

Hé! C'est peut-être ça!

Si un de mes projets est en vedette, ça

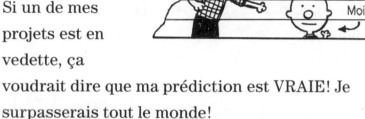

voudrait dire que ma prédiction est VRAIE! Je surpasserais tout le monde!

Je cours vers la vitrine. Je parie que ma sculpture de pingouin est là.

Ouais, des dessins ORDINAIRES. C'est le temps d'un commentaire de Nate Wright, le critique d'art.

Bel essai, Ken, mais tu devrais t'en tenir à la menuiserie.

Désolé de t'enlever tes illusions, Amanda, mais on dirait des saucisses à pattes.

Je ne sais pas pour CETTE main, Tammy, mais ton AUTRE main n'est pas très douée pour le dessin.

— ENCORE! dis-je. C'est le deuxième mois de suite qu'il est en vedette!

Vieux soulier
par
ARTUR

— Tu dois admettre que c'est un bon dessin, dit
Teddy en s'approchant de la vitrine.

— Ce n'est pas mal, dis-je en reniflant.

— Pas mal? réplique
Francis. C'est un vrai
Picasso en herbe!

Ah bon? Depuis
quand Picasso a-t-il
fait carrière en
dessinant des
SOULIERS?

Ouais, ouais. Tout le monde aime Artur.

C'est tellement injuste. Pourquoi serait-il en vedette? J'ai fait des TONNES de dessins qui sont meilleurs que son SOULIER idiot. Celui-ci, par exemple :

Regardez ça? Mon dessin a tout : Action. Suspense. Promesse de massacre. Il mérite d'être en vedette tout autant que le dessin d'ARTUR! Je vais déposer une plainte officielle.

Qu... quoi? Des demandes frivoles? FRIVOLES?

Des têtes de marionnettes? Je suis censé faire des têtes de marionnettes? Là MAINTENANT? Quel AFFRONT!

Je regarde la porte. La vitrine est à quelques pas d'ici. Si M. Rosa ne met pas mon dessin dans cette fichue vitrine, je vais le faire moi-même.

Francis a le nez plongé dans le mode d'emploi de la marionnette :

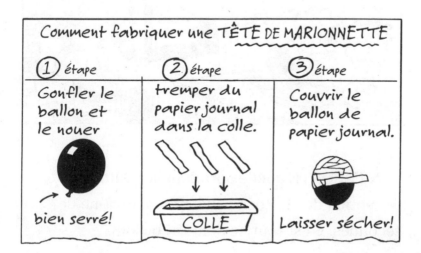

Il me jette un regard soupçonneux.

— Pourquoi chuchotes-tu? demande-t-il.

— Chut! Ne pose pas de question! dis-je.

— N'IMPORTE quelle sorte! dis-je. Détourne
l'attention de M. Rosa pendant une dizaine de
secondes. C'est tout ce dont j'ai besoin.

— Besoin pour quoi? demande-t-il.

Je lui fais signe de se taire, car M. Rosa
s'approche.

Je lance un regard à Francis qui signifie : Si tu es
VRAIMENT mon meilleur ami, tu vas faire ça
pour moi.

Il me lance un regard qui veut dire : Tu fais une
bêtise, mais tu l'auras voulu!

Ce bon vieux Francis.

Je me faufile vers la porte. J'attends que Francis
joue son rôle.

PARFAIT! Tous les élèves rigolent. Pendant que
M. Rosa essaie de les calmer...

... je sors discrètement.

Et voilà! Je suis devant
la vitrine! C'était
presque trop facile!

Maintenant, il ne reste
qu'à ouvrir le panneau
vitré... et à coller MON
dessin sur celui d'Artur! Ha!

Oh non! Ce n'est pas VRAI! Le panneau est
COINCÉ! J'ai beau tirer, il ne bouge pas...

...PUIS LA POIGNÉE SE CASSE!!!

Ça a fait du bruit! J'espère que personne...

Devine ce que M. Rosa sort de sa poche?

Ouais. Un petit carnet rose.

Je regarde le bout de papier. Sous « Motif de la retenue », il n'a rien écrit.

Il a juste dessiné un visage fâché.

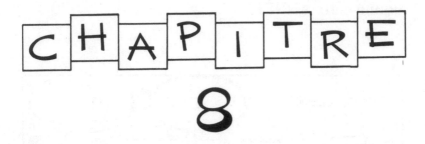

CHAPITRE 8

Ça sent la salade aux œufs, il n'y a pas assez de tables et les murs sont de couleur vomi-de-chat. Mais après la matinée que je viens de vivre, je n'ai jamais été aussi content d'entrer dans la cafétéria.

CAFÉTORIUM

Pardon, dans le « cafétorium ». Quel nom stupide.

— Je n'arrive pas à croire que M. Rosa t'a donné un billet de retenue! dit Teddy. C'est le seul qu'il a donné cette ANNÉE!

— Chester a pris notre table, dit Teddy.

Il a raison. Chester est assis à ma place. Il ressemble à l'homme de Java illustré dans notre livre de sciences.

— Bon, dis-je en ricanant, on a juste à lui demander gentiment de partir.

Bien sûr. Tout le monde sait qu'il ne faut pas demander de faveurs à Chester. Pas si tu veux garder tes dents. Il a déjà donné une raclée à son thérapeute en maîtrise de la colère.

Trouver une autre place risque d'être un problème. Voyons les possibilités :

On décide de s'asseoir avec notre ami Todd.

Oups. Désolé. (Note à moi-même : le petit gros avec les cheveux roux et les taches de rousseur est Chad, pas Todd.)

— Que lis-tu? demande Francis.

— Le livre des records du monde, répond Chad.

Je dresse l'oreille. Les records du monde? Hum.

— Que veux-tu dire, une AUTRE? blague Francis.

Je l'ignore et sors la prédiction de ma poche.

— Ça ne dit pas « Vous allez surpasser vos camarades de É.P. 38, mais « Vous allez surpasser TOUT LE MONDE ».

Je commence à feuilleter le livre de Chad. Il doit y avoir un record que je peux battre. Il faut que je trouve le bon.

— Les ongles les plus longs?

Non.

— Le plus grand nombre de tatouages?

Je ne crois pas.

— Est-ce qu'il y a un record de cheveux ridicules? demande Teddy.

— Tais-toi, dis-je.

— Gros mangeur? répète Francis d'un air sceptique.

— REGARDE! Ce gars a mangé soixante hot-dogs en dix minutes! Un autre a mangé quarante-cinq pointes de pizza en dix minutes!

Merci, capitaine Évidence.

Qu'est-ce que je pourrais manger pour battre ce record? On se creuse la tête un moment, puis on voit des élèves qui vont vider leur plateau.

Je n'entends pas ce que dit Francis, mais quelques secondes plus tard, il revient avec...

DES HARICOTS VERTS!

Des haricots verts?

— On a BEAUCOUP de haricots verts! déclare Francis.

— Mais ouiiii! dit Teddy, qui commence à comprendre. PERSONNE ne mange ses haricots verts!

Soudain, Francis et Teddy font le tour de la salle en demandant à tout le monde :

En un rien de temps, une montagne de haricots, aussi haute que le mont Everest se retrouve devant moi.

— Mais c'est DÉGUEU, dis-je. Ces haricots sont visqueux et gluants.

— Parfait! dit Francis. Ils vont glisser dans ton gosier!

— Je n'ai pas faim en ce moment, dis-je d'une petite voix. Je le ferai demain.

Cette idée de record du monde me paraît soudain moins attrayante. Comment me suis-je retrouvé dans ce pétrin?

Une foule nous entoure. Francis sort un chronomètre. Je ne peux plus reculer.

À vos marques...

　　　　prêts...

...PARTEZ!

Je prends une poignée de haricots et les mets
dans ma bouche. Du jus froid de haricot coule sur
mon menton pendant que je mâche une fois, deux
fois. J'avale. Ils ont mauvais goût, mais c'est vrai
qu'ils glissent facilement. Je prends une autre
bouchée.

GNARF
GNARF
GNARF

SLEURP
SLEURP
SLEURP

Puis une autre. Et une autre.

0:52... 0:53... 0:54... 0:55... 0:56... 0:57... 0:58...

UNE MINUTE!

IL EN RESTE NEUF!

Une minute?? Je mange depuis seulement une minute?

Aaaaaah! Je ne me sens pas très bien.

MANGE! MANGE! MANGE!

Tout le monde m'encourage, mais je n'en peux plus. Ma gorge se révolte. J'ai des haut-le-cœur et je suis étourdi. Des bouts de haricots à moitié mâchés jaillissent dans les airs. Oublions le record du monde. J'espère seulement ne pas vomir devant la moitié de l'école.

Oh, oh. Je connais cette voix. Alerte rouge.

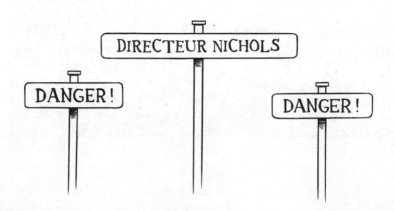

Il était bien gentil ce matin, quand je lui suis rentré dedans. Mais il n'a pas l'air gentil en ce moment. Mon estomac fait une culbute.

Je commence à répondre, mais ma bouchée de haricots m'empêche d'articuler. J'essaie de l'avaler, mais je manque de m'étrangler. Il y en a trop.

Il n'y a qu'une chose à faire. Je me penche sur la table et, le plus discrètement possible...

... je recrache les haricots.

Bon, bon, on se calme, les amis. Ce n'est pas SI dégoûtant que ça. Un tas de haricots verts mâchouillés, ça ressemble à un tas de haricots verts NON-mâchouillés.

Le directeur est lui-même un peu verdâtre.

— Je... je mange mon dîner, dis-je.

— Ton dîner? répète-t-il. Avec tous les élèves de sixième pour t'encourager?

HEU...
HUM...

JE SUIS
UN MANGEUR
SPECTACULAIRE.

— Bon, le dîner est officiellement terminé, grogne le directeur.

Il regarde les haricots répandus sur la table et le plancher.

NETTOIE
CE
DÉGÂT!

Il se dirige vers la porte. Durant une demi-seconde, je sais exactement ce qui va se produire.

On dirait que ça se passe au ralenti, mais je ne peux rien faire pour l'empêcher.

Le pied du directeur se pose sur une flaque de jus visqueux de haricot,

et...

Pendant un instant, je ne sais pas s'il est mort ou vivant.

Quelle chance. Il est vivant.

Maintenant, je ne me sens VRAIMENT pas bien.

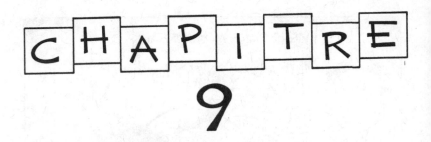

CHAPITRE 9

J'AI LES FESSES
ENGOURDIES.

Est-ce que ça le
tuerait de mettre une
chaise confortable
ici? C'est comme être
assis sur un
couvercle de toilette.

J'essaie d'ignorer les fourmis dans mes jambes. Si le directeur n'arrête pas de jacasser bientôt, tout ce qui est sous mon nombril sera complètement engourdi.

Il me fait un sermon sur les haricots verts. Bla bla bla. J'ai entendu ce discours des millions de fois. Les mots changent un peu, mais en gros, ça ressemble à ça :

1. RECONSTITUTION DRAMATIQUE

Peu importe ce que j'ai fait de mal, il le décrit en détail.

...et alors, tu as commencé à manger les haricots et fait un ÉNORME dégât. Après, tu as craché une bouchée de haricots sur la table. Puis...

Heu, oui, je sais ce qui s'est passé. J'étais là.

2. MA SŒUR PARFAITE

Il me compare à Ellen.

Ta sœur n'aurait JAMAIS fait une chose pareille.

Super. Aimerait-il ça, lui, si je le comparais à d'autres directeurs? (Je n'en connais pas d'autre, mais il DOIT en exister des meilleurs.)

③ IL UTILISE LE MOT QUI COMMENCE PAR « P ».

Tu as tellement de **POTENTIEL!**

Tu parles d'une nouvelle!
Je SAIS que j'ai du potentiel.
Je le RÉSERVE pour quelque chose
de plus important que l'école.

TU DONNERAS CE PAPIER
À MME CZERWICKI
À LA FIN DE LA JOURNÉE.

MOTIF DE LA
RETENUE :
L'AFFAIRE DES
HARICOTS VERTS.

« L'affaire des haricots verts »? On
dirait une espèce de SCANDALE.
Heu, youhou! La Terre appelle
Nichols : j'essayais de battre un
RECORD DU MONDE!

En plus, son sermon m'a mis en retard pour le cours d'éducation physique. Hé! C'est peut-être là que je surpasserai tout le monde!

Peut-être que j'excellerai en corde à grimper ou au volley-ball... ou peu importe ce que l'entraîneur, Calhoun, nous fera faire.

Sauf que Calhoun n'est pas là!

John était le prof d'éducation physique de notre école il y a longtemps. Il a pris sa retraite, mais l'école n'arrête pas de l'embaucher comme suppléant. C'est super pour l'école, mais pour nous, c'est un vrai cauchemar. Parce que cet homme est fou.

As-tu déjà vu des films de guerre où le sergent instructeur est un cinglé qui crie après tout le monde? Enlève l'uniforme, et tu obtiens l'entraîneur John.

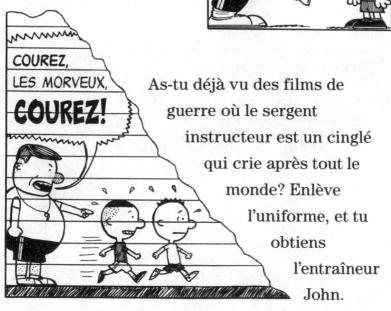

Je me faufile derrière les gradins, espérant atteindre le vestiaire sans qu'il me remarque. Pas de chance. Cet homme ne voit pas ses propres pieds, mais il m'aperçoit tout de suite.

L'entraîneur John n'est pas très doué pour se rappeler nos noms.

Vous voyez comme il est amical?

Je me précipite dans le vestiaire. Il est vide. Quel soulagement! Je n'ai pas à me préoccuper d'Alan Ashworth et sa serviette funeste.

J'enfile mon short et mon t-shirt. Je m'apprête à retourner au gymnase, quand je m'aperçois dans le miroir. J'ai des traînées de jus de haricot sur la figure. Dégueu.

Je vais nettoyer ça.
Je me penche
au-dessus du
lavabo...

Oh, NON! Il y avait de l'eau sur le comptoir! Ça a mouillé mon short!

J'essaie de me sécher avec des serviettes de papier, mais ça ne sert à rien. La tache est toujours là.

C'est un DÉSASTRE! Qu'est-ce que je vais faire? Je ne peux pas me balader comme ÇA! C'est comme si j'avais une pancarte disant :

Je regarde désespérément autour de moi pour

trouver un autre short. Rien dans les casiers. Rien dans les objets perdus. Soudain, je me souviens que JENNY est à mon cours d'éducation physique. Elle va penser que je suis un bébé lala!

— Qu'est-ce que tu fais, tu te mets sur ton trente-six? crie l'entraîneur. VIENS ICI...

...TOUT DE SUITE!

Gloup. On dirait que je n'ai pas le choix... OH! MAIS ATTENDS!

Il y a un sac de sport sous un banc près du bureau. Quelque chose en dépasse...

Quelle CHANCE! J'enlève mon short mouillé et prends l'autre. Peu m'importe à qui il appartient, quelle est sa couleur ou sa taille...

Bon, peut-être que la taille m'importe.

Dis donc, c'est un vêtement de CLOWN! On pourrait en mettre deux comme moi, là-dedans!

**BON, LE PETIT!
JE COMPTE JUSQU'À DIX!**

1...

Oh, oh! L'entraîneur John va piquer une crise! Je dois trouver une façon de faire tenir ce short, et vite.

2...

3...

Ah, ah! Il y a une pile de serviettes près des douches. J'en prends quelques-unes...

4...

5...

6...

ALLEZ, ALLEZ!

OUI, COMME ÇA!

VITE, VITE!

7...

8...

9...

... et les enfonce dans le short!

Je sais que je ressemble à un Idiosaure, mais j'ai trouvé une façon de le faire tenir. Et il n'a pas d'énorme tache mouillée.

J'entre dans le gymnase. Les élèves sont en rangées et font des étirements.

J'entends un gloussement. Puis un autre. En l'espace de cinq secondes, tout le monde rit aux éclats.

Tout le monde, sauf l'entraîneur John.

Comique? Je ne sais pas de quoi il parle, mais il a l'air prêt à m'arracher le bras. Je secoue la tête sans un mot, de crainte de donner la mauvaise réponse.

Il lève lentement la main et désigne mon short. Je le regarde sans comprendre.

Puis je les vois.

Les lettres blanches « CJ » sur son pantalon d'entraînement.

J'ai un mauvais pressentiment. Je baisse les yeux sur mon short et vois les mêmes lettres blanches : « CJ ».

Soudain, je comprends. L'entraîneur pense que je me moque de lui. Que je fais semblant d'être un mini-entraîneur John.

Je vois bien qu'il ne m'écoute pas. Je m'entends à peine MOI-MÊME. Tout ce que je vois, c'est son visage énorme qui se colore en huit teintes de violet pendant qu'il beugle :

— On verra si tu riras encore...

Génial. C'est comme ça que je voulais passer la cinquième période :

à courir comme un débile...

dans le short de l'entraîneur...

avec le ventre plein de haricots.

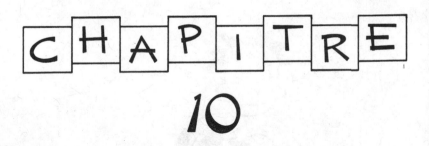

CHAPITRE 10

Un autre papier rose. Ça devient ridicule.

— L'entraîneur m'a donné un billet! dis-je d'un ton furieux.

— Manque de respect envers l'enseignant, lis-je à haute voix.

C'est injuste. Et LUI, il ne m'a pas manqué de respect? Il n'a même pas pris la peine d'écrire mon NOM!

— Qu'est-ce qu'il y a de drôle? dis-je d'un ton sec.

— Il a raison! répond Francis. Tu AS des cheveux bizarres!

Super. En plus du reste, mes soi-disant meilleurs amis traitent ma tête comme si c'était un ressort géant.

Cette journée commence à me déprimer.

— Si ça continue, dis-je, cette journée se retrouvera sur la liste des pires journées de ma vie.

MES PIRES JOURNÉES! *Nate*

①. MON 7ᴱ ANNIVERSAIRE

• Buster Glick m'a faitun œil au beurre noir en jouant au Twister. →

GAH!

• Deirdre Randall a vomi dans le bac de pommes.

BLARRF!

• Quatre mots : pire magicien du monde →

Prends n'importe quelle carte.

Non, pas celle-là

②. SOIRÉE DE PATINAGE

Tous les élèves de 6ᵉ année étaient là... avec leurs parents!

Résultat : humiliation totale

OUAIS!

Hé, Nate! Super, les patins de figures de ton père!

HA HA HA HA HA

MES PIRES JOURNÉES! (suite)

③ SOIRÉE FIÈVRE DU PRINTEMPS

- C'est le soir où Jenny et Artur ont commencé à sortir ensemble (pendant que j'étais pris à danser un slow avec Kim Cressly)..

④ RANDONNÉE NATURE DE 6E ANNÉE

- Je me suis fait crier après par un garde forestier enragé.

- Je ne savais pas que la serrure des toilettes portatives était brisée.

— Attends, dit Francis. Tu ne peux pas avoir plusieurs pires journées. Par définition, une SEULE chose peut être la PIRE.

— J'ai seulement dit que ça POURRAIT être une de mes pires journées. Ce n'est pas officiel. Il y a encore des chances que ce soit une SUPER journée...

— Je crois que tu veux trop, déclare Teddy.

— Je ne comprends pas, dis-je.

— Toute cette histoire de PRÉDICTION! Laisse donc arriver les choses au lieu de les FORCER! Détends-toi! Respire! répond-il.

Respirer? Comme à un cours de yoga? Je ne vais pas surpasser tout le monde en restant assis à faire des exercices de respiration.

— Dépêchez-vous, dit Francis. On a un cours de maths.

Beurk. Je déteste les maths. Je comprends bien jusqu'à ce que M. Staples dise des trucs comme :

Tout le reste de ma vie. Comme j'ai hâte.

On entre dans la classe. Je vois tout de suite qu'il y a quelque chose d'anormal.

M. Staples n'est pas en train d'arroser ses plantes ou d'écrire des problèmes au tableau. Il ne bavarde pas avec les élèves en racontant des blagues idiotes.

— Qu'est-ce qui se passe? dis-je en chuchotant. M. Staples est assis à son bureau sans RIEN faire.

— Qu'est-ce qu'il est CENSÉ faire? demande
Teddy. Danser sur son bureau?

Teddy ne comprend
pas. Mais moi, je sais
détecter les ennuis.

— Asseyez-vous, tout
le monde, dit
M. Staples.

Les élèves s'installent
en silence. C'est
bizarre. M. Staples ne
nous dit JAMAIS de nous asseoir. Soudain, tout le
monde comprend ce que je sais déjà. Quelque
chose de TERRIBLE va se produire.

— Rangez vos livres et vos cartables, déclare
M. Staples.

— Vous avez trente minutes, dit le prof en
distribuant les feuilles. Lisez attentivement les
questions et bla bla bla bla bla bla bla bla bla bla
bla bla bla bla bla bla bla...

Pendant qu'il cause, je jette un coup d'œil à la
feuille.

Nom

Quelle est la valeur inconnue?

1. $x \div 43 = 1150$
2. $y \div 50 = 92$
3. $n \div 14 = 714$
4. $t \div 60 = 49$

Quelle est la médiane, la moyenne et le mode?

5. 31, 169, 3, 38, 165, 105, 169, 64
6. 168, 44, 62, 25, 189, 26, 129, 92, 148, 62

Écris ce qui suit sous forme de fraction :

7. 0,16
8. 0,36
9. 0,625

10. Vingt et un soustrait de quatre fois un nombre égale 31. Quel est ce nombre?

11. 2 000 et 11 000 000 additionnés à un nombre égalent 11 110 184. Quel est ce nombre?

12. Trouve le 5/9 de 6 579?

Seulement douze questions? Ce n'est pas si mal!
Je devrais être capable de répondre à douze
questions en trente minutes.

Je me lance. Je t'ai déjà dit que je ne raffolais pas des maths. Mais on n'a pas besoin d'AIMER quelque chose pour être bon. Je fais un problème après l'autre.

Celui-ci est facile...

celui-là aussi...

... et le prochain, et le suivant. Dis donc, je suis un AS. C'est FACILE!

Je termine le dernier problème, vérifie mes réponses et dépose mon crayon. Fini!

Et devine? J'ai fini DIX MINUTES plus tôt!

Je regarde autour de moi.

Teddy n'a pas fini.

Francis non plus.

TOUT LE MONDE travaille encore!

Je suis le premier à avoir terminé! Mon cerveau superpuissant a surpassé tout le monde. Hé! J'AI SURPASSÉ TOUT LE MONDE!

LA PRÉDICTION S'EST RÉALISÉE!

Bon, je dois admettre que surpasser les autres dans un test de maths n'est pas aussi excitant que d'établir un record mondial, mais je suis prêt à m'en contenter.

Je jette un regard derrière moi. Même Gina n'a pas fini! Ha! J'ai hâte de voir son expression quand elle verra que j'ai réussi ce test et qu'ELLE...

Avez-vous entendu, les amis! Remettez vos feuilles!

Attends... Vérifiez vos réponses au recto... et au verso? Il a dit VERSO?

Je tourne ma feuille. J'ai l'impression que mes yeux vont sortir de ma tête.

OUI! Il y a HUIT autres questions! Huit questions que je n'ai même PAS VUES!

Tous les autres remettent leurs feuilles. Pris de panique, je saisis mon crayon. Je ne sais même pas ce que j'écris. J'inscris des chiffres au hasard.

— Donne-moi ça, Nate.

Je sursaute.

M. Staples est devant moi. Il prend ma feuille.

NON! Je ne peux pas la lui donner avec la moitié des questions SANS RÉPONSE! Je reprends ma feuille.

— C'est TERMINÉ, Nate, grogne-t-il en essayant de me l'enlever.

Je la tiens fermement. J'ai juste besoin de deux minutes de plus!

Mais M. Staples veut la feuille TOUT DE SUITE. Il tire. Je me retrouve dans une compétition de souque-à-la-corde avec mon prof.

Et je perds.

— On va faire un échange, dit M. Staples, les dents serrées. Tu me donnes ceci...

Il reprend le bout de papier déchiré.

Un billet rose. Tout ce que je voulais, c'était terminer le fichu test de maths. Et je me retrouve avec un autre billet de retenue!

Les profs nous disent toujours de faire de notre mieux.

Mais quand tu ESSAIES de faire de ton mieux, ils t'en EMPÊCHENT.

Il y a quelque chose qui cloche là-dedans!

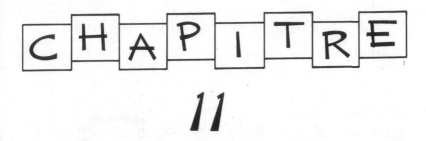

CHAPITRE

11

— Cette stupide prédiction, dis-je en chiffonnant
le papier. Elle ne m'a apporté que des ennuis.

— Et mon poing sur ta figure, trouverais-tu ça divertissant? dis-je d'un ton sec.

— Nate, la journée n'est pas finie! intervient Francis.

— Coucou, réveille-toi! dis-je. Il n'arrive jamais rien de bon en sciences.

— Le professeur Rigolo! pouffe Teddy. Elle est bonne!

— Ne dis pas ça devant M. Galvin, conseille Francis. LUI ne trouverait pas ça drôle.

— Il ne trouve jamais RIEN de drôle, dis-je.

IL EST RIGIDE COMME UNE PLANCHE!

— Ça, tu peux le dire! renchérit Francis.

Tout d'un coup, j'ai eu une IDÉE!

— Les gars, je vais faire une chose que
PERSONNE n'a jamais réussie. Je vais faire RIRE
M. Galvin!

Francis me fixe
comme si j'étais
fou.

— Tu es fou, dit-il.
Tu te souviens
des vieux albums
de finissants qu'on
a trouvés à la bibliothèque?

Je m'en souviens. On essayait de trouver des
photos amusantes de profs — coupes de cheveux
ridicules, vêtements bizarres, etc. On avait trouvé
des albums vieux de trente ou quarante ans.
C'était tordant.

M. Galvin enseigne à notre école depuis l'ère jurassique. (Un des surnoms que je lui donne est G-Rex). On a trouvé plein de photos de lui.

Il y avait des photos sérieuses (a-t-il déjà été autre chose que sérieux?).

Il y avait des photos sur le vif (ce ne sont pas des photos d'action puisqu'il est un vrai fossile).

M. Galvin — Sciences

« Reculez! Ce nœud papillon est radioactif! »

Il y avait une photo durant sa phase de greffe de cheveux.

Toutes les photos avaient une chose en commun : M. Galvin ne souriait pas.

— Si personne ne l'a jamais vu sourire, dit Francis en marchant vers le labo, comment pourras-tu le faire RIRE?

— Hé, si quelqu'un peut le faire, c'est bien MOI! dis-je. Je fais toujours rire les gens.

— Oui, mais sans le faire exprès, glousse Teddy.

DRRIIINNGGG!!

La cloche. C'est mon signal. Place à l'humour!

Je décide de commencer par une bonne vieille blague visuelle. Il n'y a rien qui bat quelques crayons placés stratégiquement.

— Zut, dis-je en marchant vers mon pupitre. Pas de réaction.

— Voici une réaction! réplique Teddy. Je ne t'emprunterai plus JAMAIS de crayon.

— C'était pour me réchauffer, dis-je. Regarde bien ça. Je vais passer au PLAN B!

— Ouvrez vos livres à la page... commence M. Galvin.

Je lève la main.

— Monsieur Galvin? J'ai une question scientifique pour vous!

Était-ce l'ombre d'un sourire? A-t-il failli rire, l'espace d'une demi-seconde?

On dirait que non.

— Psitt! M. le Clown! chuchote Francis. Tu es BIDONNANT.

— Ferme-la, dis-je. Je n'ai pas encore utilisé ma meilleure arme.

J'arrache une page de mon cahier. C'est un épisode de ma B.D. du Docteur Égout. Je l'ai presque terminé. Je sors mon feutre à dessin et mets la touche finale à mon dessin.

— M. Galvin, dis-je en m'approchant de son bureau, j'ai quelque chose à vous montrer.

Il ne lève pas les yeux.

— Oui! dis-je en lui tendant la B.D. Le personnage principal est un DOCTEUR!

M. Galvin ne rit pas. En fait, c'est plutôt le contraire.

— Tu me fais perdre mon temps, jeune homme, dit-il.

Il prend mon marqueur (mon feutre spécial pour dessiner!) et le met dans sa poche de chemise. Zut. Je ne LE reverrai plus jamais.

Je retourne à ma place.

— Bravo, champion, chuchote Teddy. Comme tu vois, il est plutôt chatouilleux.

Ça vaut la peine d'essayer. Puisque rien d'autre ne fonctionne...

Il y a un plumeau près du placard. M. Galvin s'en sert pour nettoyer les éprouvettes et les béchers.

Maintenant, je dois être discret. Je vais m'approcher en douce...

et...

— Je... heu... je...

— SILENCE! gronde-t-il. Retourne à ta place et RESTES-Y! Si j'entends un autre mot sortir de ta bouche...

...JE TE METS EN RETENUE POUR UNE SEMAINE!

Je n'ai pas le choix. Je retourne à mon pupitre, me laisse tomber sur ma chaise et regarde fixement...

... un petit point sur la chemise de M. Galvin.

ET POND SES ŒUFS, AU...
E CENTS. LES OEUFS SONT TRÈS PETI...
UNE. APRÈS TROIS À SEPT JOURS, LES ŒUFS ÉCLOSENT ET SO...
S LARVES DE COULEUR BLEU GRIS EN SORTENT, ELL...
GRAND APPÉTIT ET PEUVENT DÉVORER JUSQU'A...
PUCERONS DURANT LES TROIS SEMAINES DE LEU...
ENT. VIENT ALORS LA PHASE DE LA NYMPHOS...
NT LEUR QUEUE SOUS UNE FEUILLE AVEC Q...
LES RESTENT RECROQUEVILLÉES ET L...
RS POUR SE TRANSFORMER EN...
E SE FEND ET L'...

Le point grossit... grossit...
et GROSSIT encore!

Mon FEUTRE! Le capuchon a
dû s'enlever dans sa poche!

Le plus drôle, c'est que
M. Galvin n'a rien
REMARQUÉ!

PFFF!

※ HI HI HI ※

Oui, il a remarqué.

Il regarde fixement.

— Tu trouves ça
AMUSANT, Nate?

Je sais que je devrais dire
non. Ou garder mon
sérieux. Mais cette tache
d'encre sur sa chemise a
quelque chose de... de très...

J'essaie de me retenir. Vraiment. Mais c'est impossible. Quand je réussis enfin à me calmer, M. Galvin me tend un billet rose pour cinq heures de retenue.

Peut-être qu'un jour, je penserai à cet incident en riant.

CHAPITRE
12

Il est 14 h 59.

L'école finit dans exactement une minute. Si c'était une journée normale, je serais très content. Je compterais les secondes, prêt à bondir de ma chaise, planifiant déjà comment passer le reste de l'après-midi :

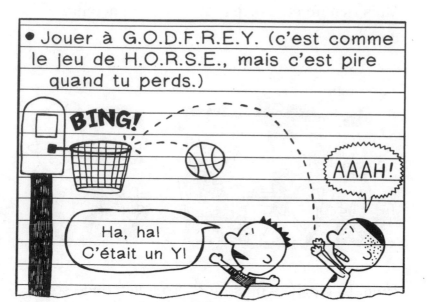

- Jouer à G.O.D.F.R.E.Y. (c'est comme le jeu de H.O.R.S.E., mais c'est pire quand tu perds.)

BING!

AAAH!

Ha, ha! C'était un Y!

- Aller chez B.D. Klassik acheter le dernier numéro de *Femme Fatalité*

← meilleure superhéroïne du monde!!!!!!

Tu vas l'adorer! Ça commence sur la planète glacée Gamma X-3...

Ne me dis rien!

Mais rien n'a été normal aujourd'hui, depuis...
depuis...

Hum. La cloche a dû sonner. Tout le monde sort.

Ils quittent l'école. Pour aller chez eux. Et pas
seulement les enfants.

AU REVOIR, NATE.
BONNE JOURNÉE!

Bonne journée? Il est sérieux? Premièrement, la journée est finie. Deuxièmement, il SAIT que je ne passe pas une bonne journée, puisqu'il est un de ceux qui ont COMMENCÉ cette épidémie de retenue.

Les profs peuvent être de vraies pestes, parfois. Quand je dis parfois, je veux dire « toujours ».

L'école se vide en un rien de temps. Et bientôt...

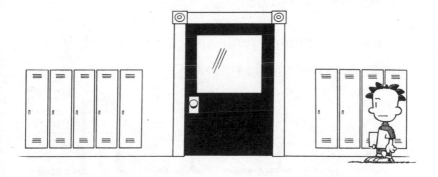

... il ne reste que moi.

Il n'y a rien de plus déprimant que d'être à l'école quand les cours sont finis. Tu devrais essayer, un jour.

Ça fait une impression bizarre. Tu peux presque entendre les murs t'insulter.

Taisez-vous, les murs!

Ça ne sert à rien de remettre ça à plus tard. Je me dirige vers le local de retenue.

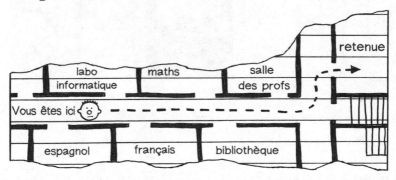

J'admets avoir été souvent en retenue. Si souvent que Teddy a même inventé une blague à ce sujet.

Je n'ai pas dit que c'était une BONNE blague.

Ma dernière retenue était le jour de la vente de gâteaux du club d'échecs.

SOUVENIR DRAMATIQUE

Francis et moi, on s'occupait de la table. On récoltait beaucoup d'argent grâce aux carrés au citron de la mère de Francis, qui sont délicieux.

Il y avait beaucoup de monde. J'ai remarqué que Randy Bétancourt prenait un carré au citron.

Il a commencé à s'éloigner sans payer.

Il a fait l'innocent.

— Payer pour quoi? a-t-il demandé.

Il a lancé le carré au citron...

... QUI EST ALLÉ FRAPPER MME GODFREY!

Personne ne nous avait vus discuter, mais TOUT
LE MONDE nous a regardés quand le carré au
citron a atterri sur le derrière de Mme Godfrey.

Elle l'a cru, bien sûr. Surprise. Et a-t-elle voulu entendre MA version de l'histoire?

Elle a sorti son carnet rose et a commencé à écrire. Randy me regardait, l'air de dire : « tu es puni et pas moi! »

C'est alors que j'ai entendu une voix dans ma tête :

TANT QU'À ÊTRE PUNI...

C'est vrai : j'étais déjà en retenue pour RIEN, non?
Aussi bien me faire punir pour QUELQUE
CHOSE!

Alors, c'est ce
que j'ai fait.

J'ai eu CINQ billets de retenue ce jour-là. Mais Randy a eu ce qu'il méritait.

Voilà ce qui me chicote à propos des billets de retenue d'aujourd'hui.

J'entre dans le local. Parfois, il y a d'autres élèves, mais aujourd'hui, je suis seul avec Mme Czerwicki.

Elle dépose son livre.

— ENCORE toi, Nate? dit-elle en soupirant.

Je hausse les épaules.

As-tu entendu ça? Billet. Au singulier. Son
stimulateur cardiaque va avoir tout un choc!

— Heu... c'est qu'il... il y en a plus qu'un, dis-je en
plongeant la main dans ma poche.

— Combien? demande-t-elle en haussant les
sourcils.

Je dépose un tas de papiers roses sur son bureau.
On dirait un origami mutant.

— Nate, combien d'enseignants t'ont donné un billet?

— Tous...

Mme Czerwicki semble stupéfaite. Elle étale les billets sur le bureau comme si elle jouait au solitaire.

Elle secoue la tête.

— Nate...

—Un record? Quelle sorte de record?

— Au fil des ans, plusieurs élèves ont reçu quatre billets de retenue en une journée. Quelques-uns en ont eu cinq. Un élève en a même eu six. Jusqu'à maintenant.

Attends.

— Est-ce que ça veut dire que...

Mme Czerwicki fait la grimace.

— Eh bien... je suppose qu'on peut dire ça.

— La prédiction s'est réalisée!

Elle s'est réalisée!

Mme Czerwicki a l'air perplexe, ce qui n'a rien de nouveau. Elle enlève ses lunettes, se frotte les yeux et dit :

— Assieds-toi, Nate.

M'asseoir? Avec plaisir! Je danse pratiquement jusqu'à ma place.

Sur le pupitre, il y a un dessin que j'ai fait la dernière fois que j'étais ici. (Les élèves ne sont pas censés dessiner sur les pupitres. Mais que peut-on faire pendant une retenue? Rester ASSIS sans bouger?)

Hé, je n'ai jamais SIGNÉ ce dessin! Je m'assure que Mme Czerwicki ne me regarde pas, puis je sors un crayon et écris :

Détenteur du record de l'école.

Bon, je sais que je ne recevrai pas de trophée pour ça, mais c'est tout de même un record. Je fais officiellement partie de l'histoire de l'École publique 38. Quand on y pense, recevoir tous ces billets de retenue, c'était un coup de chance!

Tu parles d'une bonne aventure!

À propos de l'auteur

Lincoln Peirce

Lincoln Peirce est un bédéiste et un auteur. Sa série *Big Nate* a paru dans plus de 200 journaux américains. Il vit avec sa femme et ses deux enfants à Portland, dans le Maine.

LE 2ᴱ LIVRE S'EN VIENT BIENTÔT!